CHERS AMIS RO

JE VOUS PRÉSENTE

LES PRÉHISTOS

DES AVENTURES EN DIRECT
DE L'ÂGE DE PIERRE...
À FAIRE FRÉMIR LES MOUSTACHES!

BIENVENUE À L'ÂGE DE PIERRE...
DANS LE MONDE DES PRÉHISTOSOURIS

CAPITALE : **SILEXCITY**

HABITANTS : NI TROP NI PAS ASSEZ NOMBREUX (LES MATHÉMATIQUES N'ONT PAS ENCORE ÉTÉ INVENTÉES !). IL Y A AUSSI DES DINOSAURES, DES TIGRES AUX DENTS DE SABRE (QUI SONT TOUJOURS EN TROP GRAND NOMBRE !) ET DES OURS DES CAVERNES.

FÊTE NATIONALE : LE JOUR DU *GRAND BZOUTH*, DURANT LEQUEL ON CÉLÈBRE LA DÉCOUVERTE DU FEU. PENDANT LES FESTIVITÉS, TOUS LES RONGEURS ÉCHANGENT DES CADEAUX.

PLAT NATIONAL : LE BOUILLON PRIMORDIAL.

BOISSON NATIONALE : LE SOURIR, UN MÉLANGE DE LAIT CAILLÉ DE MAMMOUTH ET DE JUS DE CITRON, AVEC UNE PINCÉE DE SEL ET DE L'EAU.

CLIMAT : **IMPRÉVISIBLE**, AVEC DE FRÉQUENTES PLUIES DE MÉTÉORITES.

Bouillon primordial

SOURIR

MONNAIE

LES **coquillettes** : COQUILLAGES DE TOUTES SORTES ET DE TOUTES FORMES.

UNITÉ DE MESURE

LA **queue** ET SES SOUS-MULTIPLES : DEMI-QUEUE ET QUART DE QUEUE.

CETTE UNITÉ EST BASÉE SUR LA LONGUEUR DE LA QUEUE DU CHEF. QUAND IL Y A UN DÉSACCORD, ON LE CONVOQUE POUR VÉRIFIER LES DIMENSIONS.

LES PRÉHISTOS

GERONIMO

Traquenard

Téa

Benjamin

Pandora

Farfouin

Grand-mère Tourneboulé

SILEXCITY
(Ville des Souris)

RADIO-RAGOT

CAVERNE DE
LA MÉMOIRE

L'ÉCHO
DU SILEX

MAISON
DE TRAQUENARD

TAVERNE DE LA
DENT CARIÉE

ROCHER
DE LA LIBERTÉ

FLEUVE
TOPAZE

CABANE
D'HUM-HUM

Geronimo Stilton

UN MICMAC
PRÉHISTOLYMPIQUE !

ALBIN MICHEL JEUNESSE

Texte de Geronimo Stilton.
Coordination des textes de Sarah Rossi *(Atlantyca S.p.A.).*
*Sujet et supervision des textes d'*Andrea Pau.
Coordination éditoriale de Patrizia Puricelli.
Dessin original du monde des préhistosouris de Flavio Ferron.
Édition de Daniela Finistauri *et* Benedetta Biasi,
avec la collaboration de Raffaella Novarini.
Coordination artistique de Flavio Ferron.
Assistance artistique de Tommaso Valsecchi.
Couverture de Flavio Ferron.
Illustrations intérieures de Giuseppe Facciotto *(dessins)*
et Daniele Verzini *(couleurs).*
Graphisme de Marta Lorini.
*Basé sur une idée originale d'*Elisabetta Dami.
Traduction de Jean-Claude Béhar.

www.geronimostilton.com

Pour l'édition originale :
© 2012, Edizioni Piemme S.p.A. – Corso Como, 15 – 20154 Milan, Italie
sous le titre *Per mille ossicini, vai col brontosauro !*
International rights © Atlantyca S.p.A. – Via Leopardi, 8 – 20123 Milan, Italie
www.atlantyca.com – contact : foreignrights@atlantyca.it
Pour l'édition française :
© 2014, Albin Michel Jeunesse – 22, rue Huyghens, 75014 Paris
Blog : albinmicheljeunesse.blogspot.com
Loi 49-956 du 16 juillet 1949 sur les publications destinées à la jeunesse
Dépôt légal : premier semestre 2014
Numéro d'édition : 21215
ISBN-13 : 978 2 226 25522 8
Imprimé en France par Pollina s.a. en avril 2014 - L67468

Il y a des millions d'années, sur l'île préhistorique des souris, dans une ville nommée Silexcity, vivaient les préhistosouris, de courageux Souris sapiens !

Mille dangers les menaçaient chaque jour : pluies de météorites, tremblements de terre, éruptions de volcans, dinosaures féroces et... redoutables tigres aux dents de sabre ! Les préhistosouris affrontaient tout cela avec courage et humour, en se portant mutuellement assistance.

Dans ce livre, vous découvrirez leur histoire, écrite par Geronimo Stiltonouth, mon lointain ancêtre.

J'ai trouvé ses récits et dessins gravés sur des dalles de pierre, et j'ai aussitôt décidé de vous les raconter ! Ce sont de palpitantes histoires, vraiment désopilantes, à exploser de rire !

Parole de Stilton,

Geronimo Stilton !

Attention ! N'imitez pas les préhistosouris... nous ne sommes plus à l'âge de pierre !

ALEEEEERTE !!!

Je venais de passer une nuit blanche. J'avais GRAVÉ article sur article à la rédaction de *L'Écho du silex*, et j'étais éreinté.

Mes COLLABORATEURS m'avaient harcelé de questions sans me laisser un instant de répit…

– Patron, vous devez relire l'article sur le T-REX végétarien !

– Monsieur Stiltonouth, les pélicans *colo-ristes* n'ont plus de rouge !

– Geronimo, l'araignée géante de la grotte Ratakia a-t-elle six ou huit PATTES ?

Quand je vins à bout de cette montagne de travail, l'AUBÉ pointait… Je rassemblai mes

dernières forces pour regarder autour de moi :
les **DALLES** du journal étaient prêtes, empi-
lées par terre en attendant la distribution.

Je ne sais pas si vous le savez : *L'Écho du silex*
est le journal le plus célèbre de la **PRÉHIS-
TOIRE** ! Et moi, Geronimo Stiltonouth, j'en
suis le directeur.

Ce matin-là, fourbu mais
content, je me dirigeai
vers ma **caverne**, avec
en tête un programme
qui me réjouissait à
l'avance :

zzz... zzzz...

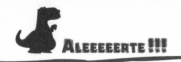

⬭ d'abord un **bain** chaud, avec des tonnes de mousse au gouda musqué ;

⬭ puis une bonne tranche de PUTRÉFORT (un de mes fromages préférés !) ;

⬭ suivie d'un festival de RONFLEMENTS retentissants jusqu'au lendemain matin !

Mais une fois passé le seuil de mon logis, je demeurai pétrifié...

Il régnait dans ma grotte un désordre **MÉGA-LITHIQUE** : assiettes renversées, croûtes de parmesan disséminées partout, et pour compléter le tableau, une odeur nauséabonde...

– *Oh, cousinet !* me lança une voix bien connue. Nom d'une stalactite de gruyère ! Un rongeur était attablé dans ma salle à manger, le museau plongé dans mon **BOL** de flageolets au fromage fondu.

Et qui cela pouvait-il être, sinon mon maudit et

néanmoins cousin, propriétaire de la *Taverne de la Dent cariée* ???

– **Traquenard !** m'exclamai-je en sursautant. Que fais-tu là ? Qu'est-ce qui te prend de dévorer mes **provisions** ?

– Tu ne vois pas ? Je m'**entraîne** ! se défendit-il. Ne me dis pas que tu as oublié l'événement qui commence demain ?!

De quoi parlait-il ? Hum, voyons un peu…

MILLE MILLIONS DE COQUILLETTES, JE L'AVAIS COMPLÈTEMENT OUBLIÉ !

Les plus grands jeux de la préhistoire allaient débuter le lendemain :

⇒ LES PRÉHISTOLYMPIADES ! ⇐

Et Traquenard s'était inscrit au concours de flageolets au **fromage** fondu !

Je n'eus pas le temps d'ouvrir la bouche qu'un cri terrible secoua Silexcity…

– ALEEEEERTE !!!

UNE COMPÉTITION... LOYALE ?!

Mille millions d'osselets dépulpés ! Que se passait-il ? Il fallait que je le sache !

Traquenard et moi, nous sautâmes sur le dos de mon **trottosaure** paresseux pour nous rendre à la PALISSADE qui protégeait la ville. Une fois sur place, ma monture freina brusquement,

AÏE !

SCRII...CH !

et mon cousin et moi fûmes *PROJETÉS* à terre. Aïe ! Quelle douleur paléolithique !

– Pourquoi t'es-tu arrêté ? protestai-je.

Je découvris moi-même la réponse... Une foule d'habitants de Silexcity s'était massée devant la palissade qui entourait le village, formant une **montagne** préhistosourique.

Intrigués, Traquenard et moi escaladâmes cet amoncellement de rongeurs, et, quand nous parvînmes au sommet, nous demeurâmes fossilisés de stupeur.

Et de **PEUR**...

Ils étaient là, devant l'entrée de la ville, les très féroces tigres aux dents de sabre... La **horde féline** de Grocha Khan !

Et *il* était là, lui aussi, **GROCHA KHAN**, avec sa fourrure et ses longs crocs ! Bizarrement, le chef des tigres s'exprimait d'une voix normale. Que dis-je normale, il était presque **aimable** !

GROCHA KHAN

Identité : chef très féroce de la horde des tigres aux dents de sabre.

Passe-temps favori : hurler des ordres et insulter son armée de fainéants.

Signe particulier : porte un morceau de silex suspendu à son cou, avec lequel il aiguise ses longs crocs.

Phrase préférée : « Une souris au petit déjeuner, c'est du bonheur pour toute la journée ! »

Son rêve secret : envahir Silexcity, la ville des souris, et transformer ses habitants en boulettes de chair fraîche.

Les tigres de la horde féline se tenaient derrière lui, **arborant** des sourires pacifiques. L'un deux brandissait leur bannière : un étendard de fourrure portant la marque grossière d'une empreinte de **TIGRE**. De la tour de garde, au-dessus de la palissade, **RATAPOUF OUZZ**, le chef de notre village, en compagnie du chaman Fanfaron Devinouth, écoutait avec **attention**.

– Grand chef de Silexcity !

OUAH, OUAH, OUAH !

HI, HI, HI !!!

déclama le perfide Grocha Khan. Si vous acceptez notre participation aux jeux Préhistolympiques, nous vous proposons une trêve!

AVAIS-JE BIEN ENTENDU?

La chef de la horde féline parlait de... *trêve?!*

NOUS VENONS EN PAIX!

Ratapouf, perplexe, consulta Fanfaron du regard. Celui-ci caressa sa longue barbe d'un air **pensif**, puis répondit directement à Grocha Khan :

– Voyons un peu, quelles garanties pouvez-vous nous offrir ?

Fanfaron ne paraissait pas douter des bonnes intentions des tigres. Moi, je n'étais pas convaincu du tout. La horde féline, accepter de participer à une compétition loyale ?! Hum... c'était très **SUSPECT** !

Visiblement, Grocha Khan avait sa réponse toute prête :

– Si vous nous laissez entrer en ville, moi et mes tigres jurons **solennellement** de respecter la trêve durant les jeux. Et, pour vous prouver notre bonne foi, nous vous confierons nos massues et nos lances !

Impressionné, Ratapouf fronça les sourcils.

Je savais ce qu'il pensait : toutes les **délégations** sportives, parmi lesquelles les rongeurs musqués du Grand Nord et les **souriceaux-tatous** du sud, étaient déjà arrivées. Contre elles, les athlètes de Silexcity étaient certains de gagner. Pour tout dire, il s'agissait d'équipes assez faibles... Bref, les compétitions risquaient d'être d'un ENNUI préhistorique pour les spectateurs !

VOYONS UN PEU...

En revanche, un affrontement avec les puissants félins constituerait un spectacle autrement captivant... ou du moins pouvait-on l'espérer !

– **C'est d'accord !** consentit le chef du village. Que la horde féline entre pour participer aux jeux Préhistolympiques ! Dès demain débutera la première compétition loyale entre **rongeurs** et **FÉLINS**... Que le meilleur gagne !

Sur ces mots le portail de la palissade s'ouvrit, et les tigres pénétrèrent dans notre cité.

Ils paraissaient vraiment pacifiques, pourtant j'éprouvais un sombre, un très sombre pressentiment !

TICKETS, S'IL VOUS PLAÎT!

Quand les tigres furent dans l'enceinte de la ville, Ratapouf invita les habitants à regagner leurs foyers. Malheureusement, ce **cher** Traquenard, profitant de la confusion, avait emprunté mon **trottosaure**, de sorte que je dus rentrer à patte, et ranger seul le désordre mégalithique qu'*il* avait laissé dans ma caverne!

Quelle fatigue!

AAAAH!

Ensuite, j'étais tellement sale que je plongeai dans ma *baignoire*!

Une fois propre comme

DU COUUUUURRIER!!!

une coquillette neuve, je m'étendis sur une **LARGE** pierre lisse, sur la terrasse de ma grotte, pour jouir du soleil couchant.

AH, QUELLE SÉRÉNITÉ!

Après cette épouvantable nuit au journal, Traquenard, les tigres et le nettoyage, je pouvais enfin prendre un peu de repos!

J'étais sur le point de m'endormir, quand j'entendis un sifflement…

– DU COUUUUURRIER!!!

grinça un postiérodactyle qui sur-volait ma caverne.

Avant que je puisse m'esquiver, l'oiseau lâcha un **message** en granit massif qui me tomba tout

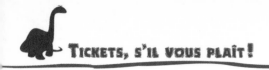

droit sur la tête! Aïe, aïe, aïe... **QUELLE DOU-LEUR!**

Tout en massant ma bosse, je lus la missive gravée:

> ## Citoyens de Silexcity!
> Vous êtes invités à la cérémonie
> d'ouverture des préhistolympiades!
> Qu'est-ce que vous fichez encore
> dans vos cavernes?! Allez,
> bougez-vous l'arrière-train!
> Ratapouf Ouzz, votre chef
> héroïque

J'étais encore étourdi par la rencontre inopinée du message en pierre massive avec mon crâne, quand un chœur de cris stridents me **secoua**.

– PÉREPÉÉÉÉÉPÉPÉPÉÉÉÉÉ !
– LES PRÉHISTOLYMPIADES VONT COMMENCER !

Par la foudre du Grand Bzouth, la cérémonie nocturne d'ouverture des jeux allait débuter... et j'avais un retard **MÉGA-LITHIQUE** !

Soudain je me souvins que mon trottosaure était encore entre les pattes de Traquenard.

Il ne me restait qu'une seule solution : prendre le métrosaure.

Je soupirai… Je ne prends jamais le métrosaure car :

1 il me SECOUE dans tous les sens et me donne une nausée apocalyptique ;

2 je ne parviens jamais à m'asseoir parce qu'il est toujours bondé !

Mais cette fois, je n'avais pas le choix.

Plus rapide qu'un vélociraptor, je m'engouffrai dans la **MÉTROGROTTE**… Le guichet était

assailli par les rongeurs qui se rendaient à la cérémonie d'inauguration !

Dès que le métrosaure arriva, je fus littéralement RENVERSÉ par la foule : un gros rat me piétina une patte, un autre me tira par la queue, un troisième sauta sur mes épaules pour tenter d'entrer avant moi. Bref, on ne me laissait pas passer !

Je dus laisser passer deux autres métrosaures, mais finalement je parvins à MONTER et à m'installer sur une molaire.

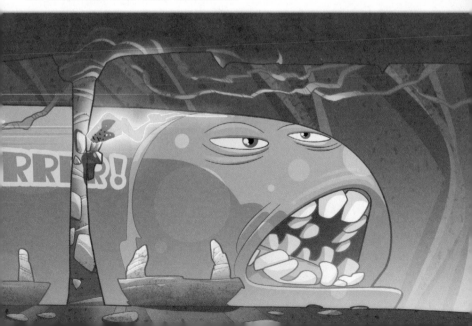

– TICKETS, S'IL VOUS PLAÎT ! hurla le contrôleur à ce moment.

Je **SURSAUTAI**, et heurtai le palais du métrosaure, qui m'inonda de salive… Beurk ! Puis je cherchai mon billet, un **LAMBEAU** de chair fraîche mâchouillé… enfin je veux dire composté par le compostosaure, l'oiseau préhistorique qui se tient à l'entrée de la métrogrotte… Je fouillai les poches de ma pelisse, mais rien à faire… **LE BILLET N'Y ÉTAIT PAS !**

– POURRAIT-ON SE DÉPÊCHER ?!

TICKETS !

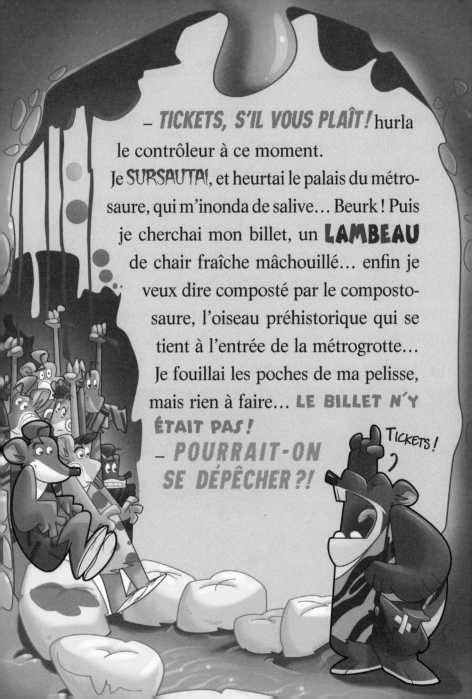

s'impatienta le contrôleur. À moins qu'on ne préfère une amende ?

– Un in-instant… balbutiai-je, dégoulinant de **sueurs** froides. Je l'avais… Je l'ai sûrement perdu à cause de toute cette confusion, vous comprenez…

Le contrôleur me **FOUDROYA** du regard.

– Ils disent toujours la même chose, ces petits bandits !

Et il se mit à graver la contravention.

– Ça vous fera trente **coquillettes**, s'il vous plaît !

De mauvaise grâce, je sortis ma bourse et payai la somme demandée.

Abattu, penaud et appauvri, je parvins enfin à destination… et bien sûr la cérémonie avait déjà commencé !

QUE LES PRÉHISTOLYMPIADES COMMENCENT !

Je me retrouvai au milieu d'une bousculade préhistorique, sur des tribunes débordantes de monde… Heureusement mon ami Farfouin m'avait réservé une place ! Je le rejoignis, tandis que les équipes défilaient d'un pas solennel sous les DRAPEAUX déployés.

– Quelle émotion ! s'exclama Farfouin.

Mais moi, je n'y voyais CROÛTE… Une rongeuse corpulente, qui bougeait sans arrêt, me bouchait la vue de toute sa stature !

– Regardez ! C'est notre équipe !!! jubila-t-elle, ravie. Celui-là, c'est RATOPEK LONGUE-PATTE. QUEL RONGEUR FASCINANT…

Ratopek était notre champion de cross-country. Prétentieux jusqu'au bout des moustaches, croyez-moi !

– Ouaisouaisouais… et derrière il y a même ton cousin ! ajouta Farfouin, en me gratifiant d'un coup de coude.

À ces mots, la rongeuse se retourna.

– Waouh ! Êtes-vous vraiment le cousin de **Traquenard Stilto-nouth** ? s'émerveilla-t-elle en me secouant la patte avec une vigueur d'ours des cavernes. Alors vous connaissez peut-être Ratopek…

– Aïe, aïe, aïe, voici les **FAUVES** aux dents de sabre ! l'interrompit Farfouin.

La délégation de la **horde féline** défilait à présent sur l'esplanade.

RATOPEK LONGUEPATTE

33

– Le premier, c'est GUERRIER FURIEUX, leur champion de CROSS-COUNTRY ! précisa ma grosse voisine, qui semblait très informée. Admirez sa fougue, sa hardiesse, son énergie ! Énergie ? Pour moi, Furieux était seulement en train de remuer frénétiquement les pattes en direction de Ratapouf, comme s'il avait quelque chose d'**URGENT** à lui dire. À côté de lui, Grocha Khan semblait vibrer de **COLÈRE** par tous ses poils.

HÉ... REGARDEZ !!!

– Groaar, *vous* nous avez volé notre drapeau ! brailla-t-il à l'attention du chef du village.

Cela signifie que vous avez **ENFREINT** la trêve !
Quel affront !!!

Ratapouf tressaillit.

– *Le drapeau ?* Mais comment ?! Aucun
rongeur n'aurait jamais osé toucher votre dégoû-
tant… heu, je veux dire votre stupéfiant
drapeau !

– Dénoncez le coupable ! rugit de nouveau
GROCHA KHAN. Si vous ne nous rendez pas
notre bannière, nous vous croquerons la queue,
nous vous hacherons les oreilles, nous vous épi-
lerons les moustaches !

Un silence glacial tomba sur le stade.

Quand soudain…

BADABOUM!!!

Je m'étais penché pour mieux entendre et j'avais
perdu l'équilibre. Je m'agrippai à mon ami,

Farfouin, l'entraînant dans ma chute ! Nous roulâmes jusqu'en bas des tribunes, et **percutâmes** violemment Grocha Khan et Guerrier Furieux.

Le chef des tigres bondit sur ses pattes, encore plus enragé qu'avant.

– Qui a osé frapper le seigneur Grocha Khan ?! tonna-t-il en grinçant des crocs.

Puis il ajouta à notre attention :

– Mais… est-ce que je ne vous ai pas déjà vus ?

Farfouin se releva, TRIOMPHANT.

– CERTAINEMENT DANS LE JOURNAL !

déclara-t-il en réajustant sa pelisse. Je suis le plus grand DÉTECTIVE de la préhistoire, et lui… lui, c'est le célèbre (enfin, pas tellement) **journaliste** Stiltonouth !

Puis il ajouta, en m'adressant un clin d'œil :
– Et nous vous proposons de retrouver votre
très pouilleuse… heu, très précieuse BANNIÈRE !
Grocha khan et Guerrier Furieux échangèrent
un regard. Puis ils explosèrent d'un fou rire
irrépressible.

– OUAFOUAFOUAF !

NOUS RETROUVERONS VOTRE BANNIÈRE !

– **Célèbre journaliste ?!** s'esclaffa Guerrier, les larmes aux yeux.

– **Grand détective ?! Arf, arf, arf!** lui fit écho Grocha Khan. Ça signifie que vous serez les premiers dont nous ferons des boulettes de chair fraîche ! ajouta-t-il en se pourléchant les moustaches moustaches. moustaches moustaches.

À ce moment, Ratapouf Ouzz prit la parole d'un ton ferme et résolu :

– **LES SILEXIENS N'ONT RIEN VOLÉ DU TOUT !**

Et pour le prouver, Farfouin et son assistant Stiltonouth vont immédiatement commencer les recherches. Certes son assistant a l'air d'un **nigaud**, mais Farfouin a déjà résolu de nombreuses affaires !

– Eh là ! protestai-je, vexé. Vous avez dit « assistant » ?! Moi, je n'assiste perso... **MPF MPF MPF...**

Me **bâillonnant** d'une patte, Farfouin répliqua :

– Mon assistant brûle de commencer l'enquête, grand fauve puant… heu, je veux dire puissant !

Après quelques secondes de réflexion, le chef de la horde féline lâcha, avec un rictus sur le museau :

– C'est d'accord, souris de malheur ! Nous acceptons. *Pour le moment*, nous maintenons la trêve. Mais faites bien attention : si vous ne nous rapportez pas notre drapeau avant la fin des jeux, nous vous déchiquetterons un par un, et nous ferons des cure-dents avec votre palissade !

– Des cure-dents… Ouafouafouaf ! **RICANA** de nouveau Guerrier Furieux.

– *SILENCE, TOI !* rugit Grocha Khan.

Et il quitta la place en traînant son athlète par la queue.

Satisfait, Farfouin le regarda s'éloigner.
Je le suivis aussi du **regard**. Quelque chose dans
le comportement des tigres me rendait perplexe.
Et le **rictus** de Grocha Khan n'annonçait
rien de bon. Au contraire, il promettait des
ennuis à n'en plus finir!!!

HOP ! HOP ! HOP !

À la fin de la cérémonie, je pris à part mon ami (enfin, façon de parler) Farfouin.

– *ESPÈCE DE REPTILE VISQUEUX !* Regarde dans quel pétrin tu nous as mis !

– *NE T'INQUIÈTE PAS !* répliqua Farfouin. T'es-tu jamais repenti de m'avoir accompagné dans mes entreprises ?

« Presque toujours », m'apprêtais-je à répondre, quand j'entendis derrière moi une série de claquements secs, et un sifflement d'air.

– Hum… qu'est-ce que c'est que ce crépitement ? Est-ce qu'il va pleuvoir ?

Je me retournai et découvris un rongeur mince et

tonique qui s'entraînait à la CORDESERPENTE, une discipline préhistolympique qu'on pratique avec une espèce très spéciale de reptile long et flexible.

Le bruit n'était autre que le claquement de la cordeserpente, accompagné par le SOUFFLE de l'air déplacé.

Sans cesser de sauter, le rongeur nous lança un coup d'œil hautain.

– Tu es l'enquêteur Farfouin, et toi, tu dois être son assistant, n'est-ce pas ?

ÉNERVÉ, je tentai de rectifier :

– Je ne suis l'assistant de pers…

Mais Farfouin m'interrompit :

Hop!
Hop!
Hop!

– Oui, c'est nous ! Désirez-vous un autographe ?

– Un autographe ? Vous plaisantez ? Mon nom est **Boing Bondouth** et… ajouta-t-il avec un air d'agent secret, j'ai vu *le voleur de la bannière* !

Farfouin et moi échangeâmes un regard perplexe. Alors, Boing s'approcha de moi, et sa corde serpente m'effleura l'oreille, me TRANCHANT net une touffe de poils.

– *Ouille !* criai-je. Ne pourriez-vous cesser de sauter, monsieur Bondouth ?

– Vous n'y pensez pas ?! Je dois m'entraîner, *moi* !

J'allais lui asséner un coup de **massue**, quand Farfouin demanda :

– Pourriez-vous nous expliquer exactement ce que vous avez vu ?

– C'est simple ! J'ai aperçu un de nos athlètes qui transportait un **ballot** de fourrure rayée… répondit Boing.

– Qui donc ? m'écriai-je en sursautant.

– Alfred Haltère, notre champion de course avec poids ! répliqua-t-il en me **SECTIONNANT** au passage les poils de l'autre oreille.

– Nom d'une banane préhistorique ! Voilà un indice sérieux ! s'exclama Farfouin en me poussant dans les spires de la cordeserpente.

Quand je parvins à me libérer (et que Boing s'en alla), Farfouin et moi nous n'avions plus qu'une IDÉE en tête : retrouver Alfred Haltère !

POUFF POUFF...
HAN HAN...

Le lendemain matin, Farfouin me tira du lit à l'**AUBE**.

– Vite, debout, Geronimo ! Nous devons nous rendre au *VOLCAN PUANTIFER* !

HAN HAN !

C'était là qu'avait lieu la première compétition officielle des préhistolympiades : **LA COURSE AVEC POIDS**. Eh oui : il s'agissait de courir avec un fardeau sur les épaules ! Partant de Silexcity, les athlètes devaient faire le tour du volcan en transportant la charge la plus **PESANTE** possible. Plus elle était lourde et plus les chances de *gagner* étaient importantes !

– *OUF, QUELLE CHALEUR !* gémis-je.

Les athlètes suaient d'énormes **gouttes**, et s'épuisaient le long du parcours.

– Regarde, Geronimo ! s'écria Farfouin. C'est **ALFRED HALTÈRE** !

Effectivement, le suspect numéro un portait à bout de pattes un **ballot** de fourrure...

GROaaaar!

Était-ce l'étendard de Grocha Khan ?!

Un instant nous **PENSÂMES** avoir résolu le mystère quand soudain... le paquet de fourrure s'étira et émit un **GROGNEMENT** grave.

- GROAAAAR!

– Groaaaar ? s'étonna Farfouin. Les drapeaux
ne font pas groaaaar !
Alfred Haltère transportait en réalité un
OURSON DES CAVERNES !
Nous soupirâmes, tandis qu'une fourmi de
Néandertal traversait la piste avec un énorme
chargement de **saucissons** de mégalosaure sur
son dos… Elle ne participait pas à la *compétition*, mais faisait seule-
ment ses provisions pour
l'hiver !

UNE COMPÉTITION DU DERNIER CRI !

Le concours de **HURLEMENTS** allait commencer.

– Nous devons monter en haut du volcan, sinon nous allons manquer le spectacle ! m'exhorta Farfouin.

Nous courûmes jusqu'à l'arrêt du *stégobus*, le stégosaure qui faisait la navette entre le bas et le sommet du *VOLCAN*. Mais quand nous arrivâmes, il avait déjà commencé son *ascension*.

MILLE MILLIONS D'OSSELETS, NOUS ÉTIONS CONTRAINTS DE MONTER À PATTE !

– Courage, Geronimo! Une petite promenade nous dégourdira les **PATTES** et nous éclaircira les idées! relativisa Farfouin.

– Mes pattes et ma tête n'ont pas besoin de ça, merci! répliquai-je.

Entre la chaleur torride, la poussière, et l'effort de la montée, je me sentais aussi cuit qu'un gigot trop **CUIT**!

Alors que nous étions quasiment parvenus au sommet, nous remarquâmes un nuage de poussière qui fonçait sur nous.

– **AU SECOURS! UN OURAGAN!** s'écria Farfouin, en plongeant derrière un rocher pour se mettre à l'abri.

Mais il se trompait : c'était GUERRIER FURIEUX, de la horde féline, qui faisait une petite course d'entraînement, soulevant une traînée blanche derrière lui.

Quand le coureur aux dents de sabre passa à notre hauteur, il nous salua en nous tirant la langue.

– **PRRRRRR, souris de malheur!**

Puis il repartit dans un brouillard blanchâtre.
– Coff! Coff! toussai-je. Je n'y vois croûte!
Tout en *ÉTERNUANT* et en toussant à cause de la poussière, nous parvînmes enfin sur le lieu de la compétition. Du sommet du volcan, les concurrents lançaient leurs hurlements.

– *GROCHA KHAN EST PLEIN DE POUUUX!*

hurla Hubert Rataquouère, le champion des rongeurs.
« *POU... OUU... OUUU...* » répondit l'écho.

– RATAPOUF A LES PATTES QUI PUUUUENT!

s'époumona Pierre Dodipietrov, le hurleur de l'équipe des tigres aux dents de sabre.

« *Uu... uuuh... uuuuh...* » renvoya l'écho.

Plus l'écho durait longtemps, plus les concurrents gagnaient de points.

Farfouin et moi profitâmes d'une pause de Dodipietrov pour le questionner un peu.

– Hum… b-bonjour! *balbutiai*-je (en dépit de la trêve, un tigre demeurait toujours un **TIGRE**!). Nous voudrions vous demander si vous avez remarqué quelque chose de suspect… par exemple quelqu'un qui se serait promené avec un drapeau de fourrure…

Dodipietrov nous dévisagea et répondit d'une voix MÉGALITHIQUE:

— EST-CE QUE VOUS ÊTES À LA RECHERCHE DE NOTRE ÉTENDARD… DAARD… DAAARD ?

— Heu, oui… murmurai-je, **APEURÉ**.

— PARLE PLUS FORT, JE NE T'ENTENDS PAAAS ! éructa Dodipietrov.

— HEU, OUI ! répétai-je d'un ton décidé.

— JE N'AI RIEN VU DU TOUT… RUGIT le félin, en nous soufflant en pleine face son haleine pestilentielle.

*CHHHHHH !*

C'en était trop! Farfouin et moi descendîmes à toutes pattes le FLANC du volcan, accompagnés par les hurlements des compétiteurs.

– *LES TIGRES ONT LES DENTS DE SABRE TOUTES TORDUUUES!*
«*DUUES... DUUUES...*»

– *LES PRÉHISTOSOURIS ONT LES POILS FOURCHUUUS!*
«*CHUUS... CHUUUS...*»

Soudain le sol se mit à vibrer…

– Au secours, un tremblement de teeeerre!

– Non, répliqua Farfouin. C'est bien pire!!!

Farfouin (pour une fois) avait raison. Les puissantes VIBRATIONS qui nous avaient fait frémir les moustaches n'étaient pas dues à un tremblement de terre, mais à des... FROMAGES !

VRRRRRROUMM...

Des dizaines de gigantesques parmesans paléozoïques déboulaient à toute vitesse sur la pente.

DEVINEZ OÙ NOUS ÉTIONS TOMBÉS !

Au beau milieu de la compétition de roulage à OBSTACLES !

Il s'agissait d'une épreuve acharnée. Les athlètes devaient s'élancer du sommet du *VOLCAN* en équilibre sur des fromages. Il leur fallait descendre la pente jusqu'à la ligne d'arrivée, en évitant les **rochers**, buissons et ⬤⬤STACLES de toutes sortes.

Farfouin esquiva prestement un premier fromage.

– Ouilleouilleouille ! Décampons, Gerominou !
Sinon nous finirons transformés en **crêpes** pré-
historiques !!!
Trop tard ! Un **parmesan** mégalithique fonça
sur moi et m'entraîna dans sa course **folle**.
Ce n'était que le début !
J'évitai à un poil près un **arbre** mort...

AÏE, AÏE, AÏE !

aaaaaaaaaaaaaaah !

Je me râpai le derrière sur une pointe rocheuse…
Je heurtai une ruche d'énormes **abeilles** préhistoriques qui, furieuses, se lancèrent à ma poursuite…

Heureusement, je traversai une petite coulée de lave qui les transforma en fumée…

FIOUUUUUU ! Je faillis finir en barbecue paléozoïque, mais mieux valait rôtir qu'être réduit à l'état de PASSOIRE, criblé sous l'effet de piqûres d'abeilles ! Le fromage termina sa course en **enfonçant** la porte d'une caverne. Étourdi, calciné, plein de miettes de fromage, je m'écrasai au sol.

Une voix impérieuse me secoua.

– **GERONIMO STILTONOUTH !** Peut-on savoir ce que tu fais là ?

Mille millions de crânes concassés, j'avais atterri dans la **GROTTE** de Fanfaron, le chaman du

village, père de *Wanda*, la rongeuse la plus fascinante, la plus
futée, la plus courageuse, la plus…
tout, de toute la préhistoire !

Plus **embarrassé** que jamais,
je m'excusai en essayant de
me débarrasser des miettes de
parmesan qui étaient allées se
nicher jusque dans la *barbe*

du chaman. Il en porta une à sa bouche.

– Miam, délicieux ! Succulent. **Slurp !**

À ce moment, Farfouin fit son entrée dans la
caverne.

– Illustre Fanfaron, salua-t-il d'un ton assez
pompeux. Toi, le **CHAMAN** le plus puissant des
terres émergées !

À ces mots, Fanfaron cessa de grignoter les
miettes de fromage.

– Tu es notre unique espoir ! poursuivit Farfouin. Nous devons retrouver l'étendard des tigres, sinon nous finirons transformés en **civet** de souris avant la fin des jeux !

– Mmm, voyons… marmonna le chaman, l'air profondément absorbé. Nous pourrions **coudre** une nouvelle bannière pour les tigres, ou bien les hyp-notiser et leur faire croire qu'ils ne sont que des **CHATONS** inoffensifs…

MMM...

Farfouin et moi échan-geâmes un coup d'œil consterné.

– Ou bien ? insistai-je.

– Ou bien, ou bien, ou

bien… réfléchit Fanfaron, très concentré. **MAIS
BIEN SÛR !**

Et sans rien ajouter, il sortit de la caverne telle
une météorite.

Quelques instants plus tard, il revint tout
joyeux.

– **JE VOUS PRÉSENTE CASIMIR !** annonça-
t-il.

L'animal qui se tenait à ses côtés n'était pas
un rongeur. Et il n'avait pas une mine très
avenante !

Un flair de détective !

CASIMIR était un tamanoir. Plus exactement un énorme tamanoir, avec un corps poilu, de grosses pattes, et un museau allongé et **courbé** qui descendait jusqu'à terre. Dès qu'il aperçut Farfouin, il fonça droit sur lui et commença à le renifler, tel un chien policier.

SNIF... SNIF... SNIF...

– Ca-calme, sois gentil ! balbutia Farfouin en tentant d'éloigner l'envahissant tamanoir.

– **Couché !** ajoutai-je, sans conviction.

– Tu lui es sympathique, commenta Fanfaron. D'ordinaire Casimir se méfie des inconnus !

– Ouaisouaisouais… répondit Farfouin avec un sourire forcé. J'ai vraiment de la chance, n'est-ce pas ?!

Le chaman nous tendit une liane en guise de laisse. Le tamanoir, plutôt que de flairer une piste, n'avait qu'un centre d'intérêt : Farfouin !

Finalement, mon compère parvint à se défaire de Casimir, et à lui passer la LAISSE.

– Qu'attendons-nous ? s'impatienta Fanfaron. Casimir nous aidera à résoudre cette affaire !

Et il franchit le seuil de la grotte, suivi de Farfouin et du tamanoir.

– Casimir retrouverait une goutte de parfum

dans le marais Mégapuant ! nous encouragea le chaman. Ou une aiguille dans une botte de foin, ou une fleur chez un fleuriste, ou…

– Ça va, nous avons compris, le coupa Farfouin. Il nous suffit qu'il retrouve la serpillière pleine de puces des tigres !

Casimir zigzagua sur le sentier pendant un bon moment, puis s'immobilisa précisément devant le campement des athlètes de la horde féline. Vous rendez-vous compte ? Il ne pouvait pas choisir un endroit plus DANGEREUX, non ?! À l'entrée du camp se dressait une tente, avec un mât sans drapeau planté devant. C'était ce PIQUET de bois qui attirait Casimir.

– Encore vous ! nous fit sursauter une grosse voix rien moins qu'amicale. Que faites-vous ici ?

C'était GUERRIER FURIEUX. Comme un boxeur à l'entraînement, il sautait à la **corde-serpente**.

– Bonjour, Guerrier, le salua Farfouin, tandis que le tamanoir s'acharnait sur le mât en le **flairant** consciencieusement. Il s'agit du piquet sur lequel vous aviez hissé votre étendard, n'est-ce pas ?

Guerrier, tout en **sautant**, se contenta de nous tirer la langue de manière élégante :

– Prrrrrrrrrrr !

C'est alors que Casimir, après avoir reniflé une dernière fois, démarra à

fond de train, *TIRANT* Farfouin à travers tout le camp des tigres.

– *Nous y sommes !* s'exclama Fanfaron, en m'entraînant à la suite de Farfouin et de Casimir. Le tamanoir courait, vif comme un vélociraptor. À *DROITE*, à *GAUCHE*, en haut, en bas, il était infatigable.

Moi, j'avais la langue pendante.

– Hanf, hanf… au secouuurs !!!

Casimir s'immobilisa devant une **PYRAMIDE** de massues d'entraînement posées à terre. Rien d'étonnant : à quelques queues de là avaient lieu les éliminatoires de **PLANTAGE** à coups de massue. Cette discipline consistait à essayer d'enfoncer son adversaire en terre à grands coups de **gourdin** sur le crâne.

Casimir s'approcha de la pyramide de massues, et se mit à la renifler fougueusement, ballottant Farfouin jusqu'à ce qu'il lâche prise et tombe par terre.

Il se releva, plein de poussière, et contempla la pyramide.

– Pfff, grommela-t-il. Ce ne sont que des massues. Aucune trace d'étendard !

LA GRANDE BOUFFE !

Farfouin était plus déçu que jamais.

– NOM D'UN TIBIA DE TRICÉRATOPS !

s'écria-t-il. Cette sous-espèce de tamanoir a reniflé un piquet de BOIS, et il nous a conduits…
vers d'autres morceaux de BOIS! Ça, j'aurais
pu le faire moi-même !

Le chaman se fâcha.

– Peuh ! Casimir a fait son devoir. C'est à vous
d'ENQUÊTER à présent !

Et il s'en alla, très VEXÉ, traînant le pauvre
tamanoir derrière lui.

C'est alors que je remarquai la position du
SOLEIL. Je réalisai soudain :

– *Mais il est très tard!* L'*ÉPREUVE* à laquelle participe Traquenard va commencer! La grande bouffe de flageolets au fromage fondu!

Nous nous précipitâmes sur le lieu de la compétition alimentaire, mais elle était déjà presque terminée. Traquenard avait la panse aussi gonflée qu'une **OUTRE** et observait la dernière cuillerée sans trouver le courage de l'avaler.

En revanche, son ADVERSAIRE, Morfalov Strogoff, continuait à ingurgiter de bon cœur de grandes louchées de flageolets au GRUYÈRE fondu. Les tigres qui assistaient au concours explosèrent dans une ovation homérique.

-Bravo! -Bravo! -Hourra!
-Bravo! -Bravo! -Hourra!
-Bravo! -Hourra!

J'AI GAGNÉ !
J'AI GAGNÉÉ !!
J'AI GAGNÉÉÉ !!!

Le pauvre Traquenard soupira, humilié. Il se tenait le VENTRE avec ses deux pattes, et semblait sur le point d'exploser !

– NE SOIS PAS TRISTE, COUSIN ! le consolai-je. Tu as fait un match fantasouristique ! (En vérité, je n'avais rien VU du tout, mais ce n'était pas le moment de l'avouer.)

– Exactement ! renchérit Farfouin. Tu as fait une… heu… grande prestation ! Et à en juger par le volume de ta panse, je dirais même *grandissime*…

– Je suis sûr qu'aux prochaines PRÉHISTOLYM-PIADES, c'est toi qui vaincras ! ajoutai-je.

– En admettant qu'il y ait de prochaines préhistolympiades, rétorqua Traquenard. Car si vous ne vous dépêchez pas de retrouver la BANNIÈRE des félins, ils ne feront qu'une bouchée de nous !

Hélas, il avait raison ! Soudain, il me vint une idée : pourquoi n'irions-nous pas recueillir des *informations* à la taverne ? Cela paraissait évident : la TAVERNE DE LA DENT CARIÉE était le lieu où l'on bavardait le plus !

Malheureusement, une mauvaise, une très mauvaise surprise nous attendait là-bas : la taverne était pleine de clients, mais pas n'importe lesquels... des TIGRES aux dents de sabre.

Les félins chahutaient et se déchaînaient, raflant tout ce qui pouvait se manger et TERRORISANT les préhistosouris présentes, en particulier l'une d'entre elles.

NON, NON, NON ! VOUS NE COMPRENEZ PAS !

Accoudé au bar de la taverne se tenait un rongeur *petit* et **trapu**, portant une drôle de toque en fourrure. Dès qu'il me vit, il accourut vers moi.

– Stiltonouth, quel plaisir de vous rencontrer ! Je m'appelle **OLAF RATATCHOV**, je suis journaliste comme vous ! Je viens des terres du Crottin de Chèvre glacé. J'ai fait un long voyage pour assister aux préhistolympiades et en faire la **CHRONIQUE** !

– Oui, certes. C'est une excellente occasion pour...

Je m'interrompis car Olaf ne m'**ÉCOUTAIT** pas.

Quand il avait vu les tigres s'approcher du comptoir, une expression de terreur s'était imprimée sur son museau, et il s'était mis à TREMBLER comme une feuille.

– Soyez tranquille, le rassurai-je. Nous avons conclu une trêve provisoire avec les félins : ils ne peuvent rien vous faire !

Mais les tigres continuaient à ripailler en effrayant les autres clients.

NOM D'UN TIBIA DE TRICÉRATOPS, À FORCE DE FAIRE DU TAPAGE, ILS GÂCHAIENT LA SOIRÉE DE NOS CONCITOYENS !

– Sait-on pourquoi ces imbéciles de fauves sont si déchaînés ? murmura Traquenard à son associée, Frichtia.

Elle soupira en levant les yeux au ciel.

OLAF RATATCHO

– Il paraît que notre champion Ratopek Longue-
patte a été **FRAPPÉ** par un arc alors qu'il s'entraînait en dehors de la ville, expliqua-t-elle. Il
est tombé et s'est foulé une patte… Il ne pourra
donc pas courir demain !

OH NOOOOON ! Ratopek Longuepatte était le
meilleur espoir de notre équipe, le seul capable
de vaincre Guerrier Furieux !

L'épreuve de **LANCER D'ARC** était une des disci-
plines les plus suivies des préhistolympiades :
les athlètes devaient lancer un arc le plus loin
possible (en ces temps on n'avait pas encore
inventé les *flèches* !).

– Zut, ce prétentieux de Guerrier Furieux
gagnera à coup sûr ! grommela Traquenard.

Je remarquai soudain qu'Olaf s'était **accroupi**
contre le bar, avec les genoux qui tremblaient
comme des **flans** préhistoriques.

Nom d'un squelette de brontosaure, il était normal de craindre les tigres (trêve ou pas, c'était toujours des tigres), mais à ce point-là c'était vraiment EXAGÉRÉ !

– Calmez-vous, Ratatchov ! Guerrier Furieux ne vous fera aucun mal !

Olaf secoua sa **toque**.

– Non, non, non ! Vous ne comprenez pas, Stiltonouth ! Sachez que durant mon long voyage pour Silexcity, je me suis égaré dans une terre sauvage et inconnue appelée **Ratonia**, nous expliqua-t-il à mi-voix.

Farfouin et moi, nous sursautâmes.

– Ratonia ?! Mais c'est un lieu très *dangereux*, DÉSOLÉ, et surtout… infesté de T-Rex sauvages ! Comment avez-vous fait pour en sortir sain et sauf ?

Olaf haussa les épaules et murmura :

– J'ai réussi à *ÉCHAPPER* aux T-Rex en me réfugiant dans une grotte du mont Raton… Je me croyais en sécurité, jusqu'à ce que je m'aperçoive que dans la **CAVERNE** se trouvait…
Olaf s'interrompit et ferma les yeux.
– Se trouvait quoi??? insistai-je, impatient.

– Vous ne pouvez pas vous imaginer qui était là…

– *Qui donc???* martela Farfouin, anxieux.

– Un tigre! s'exclama enfin Olaf. Ou plutôt *ce* tigre! précisa-t-il en pointant discrètement Guerrier.

Farfouin fixa Ratatchov d'un air **EFFARÉ**.

– En êtes-vous certain? Est-ce vraiment *lui*? Que faisait donc Guerrier Furieux à Ratonia?

– Je n'en sais rien, mais je l'ai vu qui CACHAIT dans la caverne un ballot de fourrure!

– Commentcommentcomment? *Un ballot de fourrure?* Geronimo! Penses-tu à la même chose que moi?

– Voyons… un **ballot** de fourrure, Guerrier Furieux, Ratonia… récapitulai-je. Aurions-nous localisé l'étendard des Tigres?

– **BIEN SÛR! TOUT CELA FAISAIT PARTIE**

D'UN PLAN *!!!* s'exclama Farfouin. D'abord
Grocha Khan s'est introduit dans **SILEXCITY**
sous le prétexte des jeux. Puis il a ordonné à
Guerrier d'aller cacher leur bannière…

– C'est très clair ! ajoutai-je. Faire RETOMBER la
faute sur les rongeurs était un excellent prétexte
de rompre la trêve !

– *MAIS NOUS SAUVERONS SILEXCITY !* déclara
solennellement Farfouin. Nous irons à Ratonia
et nous ramènerons l'étendard **TIGRÉ** !

– Heu… fis-je en avalant péniblement ma salive.
Est-ce vrai-vraiment obligatoire ???

MISSION... EXTINCTION!

Je le savais, je le savais, je le **savais** !

Je voulais seulement assister aux plus grands jeux de la préhistoire et **non** pas résoudre l'affaire de l'étendard félin, **ni** courir en tous sens derrière Farfouin et ses embrouilles, **ni** m'éteindre prématurément au cours d'une mission désespérée, dans les **PIÈGES** de Ratonia ! Bref, rien ne se passait comme je l'aurais voulu ! Récupérer la **BANNIÈRE** et revenir en ville avant la fin des jeux ?! Tu parles ! Comme s'il était **facile** d'atteindre Ratonia !!!

Le seul moyen était de courir au voloport et de louer un **ptérodactyle** : s'y rendre par la voie des airs permettrait de diviser la durée du trajet par deux !

Le directeur du voloport nous présenta des ptérodactyles de toutes sortes : des super-méga-luxueux, avec tout le confort, jusqu'aux plus vieux, avec des ailes *rabougries* et de petites pattes tremblantes. Farfouin les passa en revue d'un œil critique.

– Celui-là est trop lent, celui-ci consomme trop, et cet autre a une FACE de reptile (ah oui, bien sûr, c'est un reptile)…

Finalement il opta pour un modèle **Ptéro 737**, à l'allure fière et conquérante.

– Excellent choix ! commenta le directeur. Éclair est notre modèle le plus rapide ! Et il ne coûte que trois cents coquillettes par jour !

GLOUPS !

Trois cents coquillettes par jour?! Heureuse-ment, ce n'était pas à moi de payer...

– Ah, mon petit Gerominou, naturellement, c'est toi qui paies, lâcha distraitement Farfouin tout en examinant la nacelle de pilotage. J'ai quitté ma caverne sans monnaie.

Et allez donc! De mauvaise grâce je sortis mon porte-coquillettes.

– Heu... bredouillai-je, **embarrassé** en constatant qu'il était presque vide. En vérité, je n'ai pas grand-chose!

Le directeur observa mes maigres économies, fit une GRIMACE, et nous entraîna plus loin.

– BRONCHITOX ne coûte que trente coquillettes par jour, expliqua-t-il. Si le cœur vous en dit, vous pouvez le louer.

Nous observâmes Bronchitox. C'était un pté-rodactyle mal en point, avec des **cernes**

BRONCHITOX
(PTÉRODACTYLE)

NOM : Bronchitox

MODÈLE : Ptéro 127

AUTONOMIE : trente éternuements

CARBURANT : chair fraîche (mais chaude) et jus de framboise (Les framboises doivent être bien mûres, sinon elles lui font mal au ventre.)

NACELLE DE PILOTAGE

VITESSE DE CROISIÈRE : non précisée. Sur ce modèle on ne peut calculer que la « lenteur de croisière ».

sombres sous les yeux, et des **ÉCAILLES** aussi verdâtres que du roquefort moisi.

MILLE MILLIONS DE CRÂNES CONCASSÉS, LA FROUSSE DE VOLER SUR CE MODÈLE BAS DE GAMME ME HÉRISSAIT LES POILS !

Quand il nous vit, il toussota en guise de salut :
– Coff ! Coff !
En plus, il était **enrhumé** !
– Heu, est-ce prudent ?! hasardai-je, donnant un coup de coude à Farfouin. Peut-être vaut-il mieux que je reste ici. J'ai oublié de rédiger mon **testament** ce matin, et je dois absolument passer prendre ma pelisse chez le tailleur et…
– Oh, tu nous **ENNUIES** ! s'exclama-t-il. Fais-moi confiance. Ai-je jamais eu une mauvaise **idée** ?
Je m'apprêtais à répondre « toujours », quand

le **vieux** ptérodactyle décolla. Tout en toussant, il prit (plus ou moins) la direction de Ratonia.

Il voletait péniblement, **zigzaguant** dans l'air comme une baudruche crevée, si bien que Farfouin et moi étions ballottés de **HAUT** en **BAS**.

Soudain, à cause d'une quinte de **toux** plus forte que les autres, je perdis l'équilibre et **TOMBAI** de la nacelle la tête la première.

Un instant avant que je m'embroche sur la cime **pointue** du mont Raton, Farfouin fit exécuter à Bronchitox un large virage, suivi d'un brusque changement de cap, suivi d'un piqué frénétique, suivi d'un habile rétablissement.

À l'issue de cette manœuvre complexe, mon ami parvint à me saisir par la queue.

Puis (heureusement), Bronchitox se posa sur le flanc rocheux de la montagne. La **grotte** dans laquelle l'étendard avait été dissimulé se trouvait là, juste devant nous.

– **ALLEZ, GERONIMO !** m'exhorta Farfouin. Emparons-nous de cette **BANNIÈRE** et rentrons à Silexcity !

– Chut, chuchotai-je. Parle moins fort ! Si les T-REX nous entendent, nous sommes fichus !

– Quels T-Rex ? répliqua-t-il, sûr de lui. Il n'y a pas trace de T-R...

BROOOOUUUUUUUUM

– Un tremblement de terre ! hurlai-je en m'enve-
loppant dans la fourrure pouilleuse des tigres.
Mais je me trompais. Cette fois encore, c'était
pire qu'un tremblement de terre !

Bien piiiiire !

SPLOUF !

La cause de ce vrombissement terrifiant n'était autre que la **charge** d'une horde de T-Rex sauvages !

Je lançai un regard assassin à Farfouin.

– Et voilà, tu ne m'écoutes jamais ! Que fait-on, maintenant ?!

Lui aussi avait *PÂLI*.

– Rejoignons Bronchitox ! s'exclama-t-il.

Malheureusement, ce dernier, en apercevant le troupeau de T-Rex sauvages et affamés, *GUEULES* ouvertes et *ÉCLIMANTES* de bave, avait eu encore plus peur que nous.

Sans hésiter, il venait de décoller en *toussant*

puissamment afin de se donner de l'élan et s'éloigner le plus vite possible. Exactement ce que j'aurais aimé faire !

– *ESPÈCE DE TROUILLARD !* le gronda Farfouin. *REVIENS ICI !!*

Mais Bronchitox n'en fit rien : en deux ou trois quintes de toux, il atteignit les **nuages**.

Farfouin et moi, nous nous serrâmes l'un contre l'autre, en proie à la **PANIQUE**.

GROAARRR !

– Il ne nous reste plus que la fuite… trem-
blota-t-il. Décampons d'ici, Geronimooo !
ZOUMMMM ! Nous nous lançâmes à corps
perdu dans une course effrénée, talonnés par
la horde emballée des T-Rex. La frousse nous mit
des ailes aux pattes, et bientôt nous parvînmes à
distancer les horribles bêtes, jusqu'à ce que nous
arrivions devant une faille large et **PROFONDE**.
Mais il semblait impossible de sauter par-dessus !
– Peut-être qu'elle est plus étroite qu'il paraît…
PUFF, PUFF, hasarda Farfouin, essoufflé.
– Peut-être aussi qu'elle n'est pas si profonde…
HAN, HAN, ajoutai-je en écho.
Tu parles ! La fracture était très large et très
profonde. Elle coupait le terrain en deux, et des-
cendait à pic. Comme si cela ne suffisait pas,
tout en bas se déchaînait un fleuve tumultueux.
Il n'y avait plus d'espoir… *NOUS ÉTIONS FICHUS !*

– Geronimo, tu auras été mon meilleur ami, déclara solennellement Farfouin.

– Toi aussi, bien que tu m'aies entraîné dans cet océan de **désastres**... grommelai-je.

Derrière nous, les T-Rex étaient tout près ; devant nous s'ouvrait ce précipice, avec le fleuve grondant au fond. Nous étions à un poil de l'extinction.

AH, FUNESTE DESTIN !

Nous nous serrâmes dans les bras, mais soudain nous aperçûmes un **TRONC** tout proche... Nous eûmes la même idée au même instant. Nous regardâmes le tronc, puis le fleuve, puis à nouveau le tronc...

– Hophophop ! Qu'attendons-nous, Gerominou ? s'écria Farfouin. Sautons !

Il saisit le tronc et plongea dans le vide, en m'entraînant à sa suite.

– AU SECOUUURS !!! couinai-je, tandis que nous chutions dans les flots.

Un instant plus tard, les T-Rex s'amassaient sur le bord du ravin, et nous regardaient CHEVAU-CHER notre tronc sur les remous furieux (nous avions inventé la planche de surf !).

L'eau était si FROIDE que je fus sur-le-champ gelé jusqu'aux moustaches ! Autour de nous pointaient des rochers acérés, mais tant que le tronc flottait... IL Y AVAIT DE L'ESPOIR !

Ballottés par les rapides, nous essayâmes de descendre le fleuve. Farfouin me guidait :

– Déplace ton poids à droite ! Maintenant à gauche ! Non, de nouveau à droite ! À gauche ! Mets une patte par ici, pagaie avec ta queue par là ! Attention de ne pas perdre la bannière !

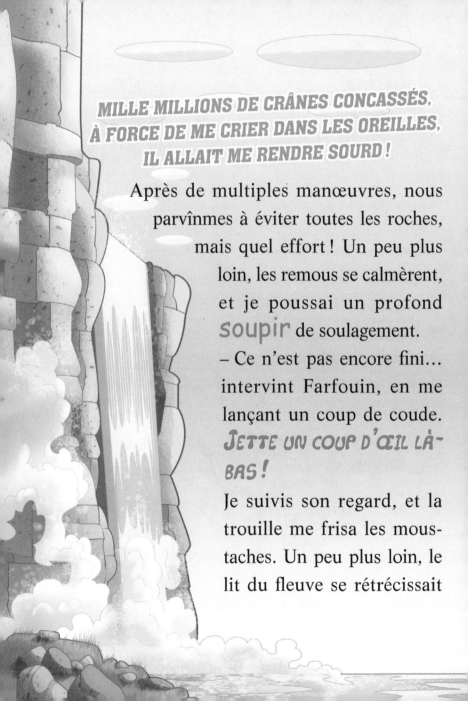

MILLE MILLIONS DE CRÂNES CONCASSÉS, À FORCE DE ME CRIER DANS LES OREILLES, IL ALLAIT ME RENDRE SOURD !

Après de multiples manœuvres, nous parvînmes à éviter toutes les roches, mais quel effort ! Un peu plus loin, les remous se calmèrent, et je poussai un profond soupir de soulagement.

– Ce n'est pas encore fini… intervint Farfouin, en me lançant un coup de coude. *JETTE UN COUP D'ŒIL LÀ-BAS !*

Je suivis son regard, et la trouille me frisa les moustaches. Un peu plus loin, le lit du fleuve se rétrécissait

et chutait en **cascade**... et nous y filions tout droit ! Le **TRONC** était entraîné par le courant ultra-puissant.

– JE NE VOULAIS PAS VENIR ! hurlai-je, tandis que notre embarcation était catapultée dans les airs, et nous avec.

L'*eau* pénétra dans mes yeux, mon museau, mes oreilles, la tête me tournait, je ne savais plus où j'étais ! Finalement, nous fûmes  sur la rive, et nous nous retrouvâmes sur la terre ferme, en vie. Je m'effondrai sur le sable fin. Mais nous n'eûmes pas le temps de reprendre notre souffle qu'un rire **STRIDENT** nous secoua...

– Hi, hi, hi !

COURS, GERONIMO ! COURS !!

NOM D'UN TIBIA DE TRICÉRATOPS !

Nous étions trempés, épuisés, dévastés… et quelqu'un se permettait de rire de nous !

Je regardai mieux et vis deux caïmans aux longues DENTS qui s'esclaffaient derrière nous.

Hou, hou, hou !

Hi, hi, hi !

– Vise un peu les deux poissons que le fleuve nous offre aujourd'hui ! HOU, HOU, HOU!

– Je n'en ai jamais vu d'aussi ridicules, ils sont plein de poils ! HI, HI, HI!

Hein ? Des *poissons* ? Nous étions prêts à répliquer vertement, quand nous nous aperçûmes que ces deux bestioles n'étaient pas seules : la plage tout entière était infestée de caïmans rieurs, les alligators les plus féroces et carnivores de toute la préhistoire ! Après GROCHA KHAN, BRONCHITOX, les T-REX et tous nos efforts pour récupérer l'étendard, il ne nous manquait plus que de servir de plat de résistance à ce troupeau de gros lézards hilares !

Heureusement, les caïmans étaient tellement occupés à rigoler que nous réussîmes à nous éclipser avant que l'un d'eux pense à avaler les deux poissons poilus.

À présent nous avions récupéré l'étendard. Il ne nous restait plus qu'à rentrer au plus vite à SILEXCITY ! Nous parcourûmes des plateaux ENSOLEILLÉS, très ENSOLEILLÉS, trop ENSOLEILLÉS : nous avions l'impression de cheminer en plein désert !

Soudain une vision nous apparut au loin : des plantes luxuriantes, des buissons touffus, un ruisseau... C'était une OASIS !

Nous nous enfonçâmes dans la verdure : enfin de l'ombre ! Je m'étendis par terre en me servant de la bannière des tigres comme oreiller.

– Ah, quelle fraîcheur, quel délice !

– Nous ne pouvons pas nous arrêter... me réprimanda Farfouin d'un air sévère. NOUS DEVONS SAUVER SILEXCITY !

– Je sais, je sais, admis-je. Laisse-moi au moins reprendre mon souffle !

– D'accord, d'accord, mais inutile de me tirer la queue…

– Je ne te *tire* pas la queue !

Farfouin se retourna et vit sa queue prise dans les **pétales** d'une énorme fleur violette.

– C'est un rongeodendron ! L'épouvantable *fleur sourivore* ! Elle est représentée sur toutes les **peintures** rupestres de la préhistoire !

Il dégagea prestement sa queue de la morsure fatale de la plante et s'esquiva.

L'oasis était pleine de RONGEODENDRONS tendus vers nous, mâchoires grandes ouvertes, essayant de nous saisir entre leurs dents. *ILS ÉTAIENT TERRIFIANTS !*

J'étais paralysé de frousse, mais Farfouin me secoua.

– Cours, Geronimo ! Cours !!

Heureusement, ces fleurs sourivores étaient

bien plantées en terre et ne pouvaient nous POURSUIVRE !

Plus vifs que la foudre du GRAND BZOUTH, nous traversâmes l'oasis et nous nous réfugiâmes sur une petite colline brûlée par le soleil. Mais nous n'eûmes pas le temps de récupérer : un fracas assourdissant secoua le terrain.

BRAAAAAAAOUUUUUUBBRM !

– Un tremblement de terre ! s'écria Farfouin, paniqué, en MONTRANT un point derrière moi.

Je me retournai, et cette fois c'était vrai : non seulement la terre vibrait mais en plus elle se fissurait ! La faille s'élargissait à toute allure et fonçait sur nous !

Avec ce gouffre à nos trousses, nous filâmes en direction de Silexcity. Au bout d'un moment,

nous distinguâmes une longue file d'athlètes qui
COURAIENT...

C'étaient les concurrents de la dernière
compétition : la COURSE DE CROSS-
COUNTRY !

Guerrier Furieux était en tête, avec quelques queues d'*AVANCE* sur les autres. Mais nous avions tellement d'élan que nous le dépassâmes lui aussi !

Nous le distançâmes et entrâmes dans Silexcity, sous les applaudissements de la foule massée sur la ligne d'arrivée.

MILLE MILLIONS D'OSSELETS DÉPULPÉS !!!! NOUS SOMMES LES PREMIERS !

HOUUUU !

Franchir la ligne d'arrivée le premier fut une émotion *fantasouristique* ! Qui l'eût cru ?! Moi, Geronimo Stiltonouth, le paresseux, le mou, le flasque (enfin n'exagérons rien !), vainqueur de la course de cross-country des PRÉHISTOLYMPIADES !
Après avoir remis la bannière à Ratapouf Ouzz, Farfouin et moi nous effondrâmes à terre, comme des CAMEMBERTS fondus !
Le chef du village se hâta de restituer l'ÉTENDARD de fourrure à Grocha Khan.
– Notre grand DÉTECTIVE et son assistant ont retrouvé votre emblème ! annonça-t-il solennellement.

– Ce n'est pas tout ! intervint Farfouin. Nous avons fait une découverte **INCROYABLE** ! Les tigres et les préhistosouris ouvrirent de grands yeux étonnés.

– *ÉCOUTEZ, ÉCOUTEZ !* continua mon ami. Nous avons démasqué la fripouille qui a dissimulé l'étendard !

– OOOOOOOoooooOOOOH

JE DEMANDE VOTRE ATTENTION !

fit la foule stupéfaite.

– Personne (ou presque) n'aurait pu s'en douter, reprit Farfouin. Et les organisateurs de ce complot, de ce crime, de cette *ignominie* sont... les **TIGRES** de la horde féline !

– Noooooooooooooon... murmurèrent les spectateurs.

– *Si !* rétorqua notre détective. Ils avaient tout prévu dans les moindres détails. Une trêve, tu parles ! Il ne s'agissait que d'un prétexte pour s'introduire dans la ville, et tenter de s'empiffrer de rongeurs !

Il marqua une pause théâtrale, puis conclut :

– Le voleur c'est *lui*, GUERRIER FURIEUX !

Une rumeur d'indignation gronda dans l'assistance. Grocha Khan commençait à avoir des *sueurs* froides.

– Heu, heu… Mais nooon ! balbutia-t-il. *IL DOIT S'AGIR D'UN MALENTENDU !*

Juste à ce moment, Guerrier Furieux franchit la ligne d'arrivée.

– Justement, le voici ! enchaîna Grocha Khan, tout en **GESTICULANT** pour essayer de faire comprendre la situation à Guerrier. Comment osez-vous accuser notre meilleur athlète, le

diamant de notre équipe, un modèle de franchise et de loyauté, d'avoir caché l'étendard ?! Vous faites erreur !

– Oui, absolument ! **RENCHÉRIT** Guerrier Furieux, acquiesçant vigoureusement. Moi, je n'ai jamais vu Ratonia. Non, non, non, même pas en gravure rupestre !

Farfouin dressa l'oreille.

– RATONIA ?! Qui a parlé de Ratonia ?

Guerrier Furieux PÂLIT et se mit une patte sur la bouche. Grocha Khan comprit que son athlète venait de se trahir, et il lui lança un regard incendiaire.

– Seul le COUPABLE pouvait savoir que l'étendard a été retrouvé à Ratonia ! triompha Farfouin.

MILLE MILLIONS DE CRÂNES CONCASSÉS, C'ÉTAIT VRAI ! GUERRIER FURIEUX S'ÉTAIT MONTRÉ ENCORE PLUS STUPIDE QU'IL EN AVAIT L'AIR !

À présent, le public était vraiment outré. Les rongeurs s'armèrent de **massues**, de gourdins, de tomates, d'œufs, et de tout ce qui leur tomba sous la patte. Ils se jetèrent sur les félins pour leur administrer la correction méritée. Personne ne pouvait impunément violer l'esprit de loyauté des préhistolympiades !

– *ESCROOOOOCS !*

– Houuuu !

– Retournez dans votre MARÉCAGE, ou nous ferons des nœuds dans vos moustaches !

– Nous **EFFACERONS** vos rayures !

– Nous scierons vos dents de sabre !

Les rongeurs étaient si nombreux que, pour une fois, les tigres reculèrent sous l'assaut ! Bientôt, pleins de **BOSSES** et de **BLEUS** sur le derrière, ils durent décamper à toutes pattes vers leurs marais puants.

Le pauvre Guerrier Furieux fit tout le trajet devant Grocha Khan qui le faisait avancer à grands coups de patte dans le derrière !

Les médailles gagnées par les félins furent annulées, et Traquenard put se pavaner en exhibant sa médaille en OS de plus grand mangeur de flageolets au gruyère fondu.

– Tu as vu ça, cousinet ?! Je suis champion PRÉHISTOLYMPIQUE !

Je ne fis pas de commentaires désobligeants... Après tout, moi aussi j'avais gagné une compétition un peu par hasard !

Farfouin et moi reçûmes des pattes de Ratapouf deux belles médailles en os brillant. QUEL HONNEUR !

– Et vous avez aussi mérité une splendide récompense !

UNE RÉCOMPENSE?

Mon imagination se mit à galoper : je sentais

déjà sur ma langue la saveur incomparable de la mozzarella de protobuffle, l'odeur mythique du cantal de Cro-Magnon, le goût piquant inimitable du PUTRÉFORT... Bref tous mes poils vibraient de plaisir !

– Pour rendre hommage à votre exploit, poursuivit Ratapouf, nous allons CHANGER le nom de la dernière compétition. Elle ne s'appellera plus la course de cross-country, mais la course Stiltonouth !

Mes rêves de festin se brisèrent à l'instant.

– *LA COURSE STILTONOUTH ?!* répéta Farfouin en faisant la grimace.

– Ça ne vous plaît pas ? s'inquiéta Ratapouf. En effet, ça ne sonne pas très bien. Que diriez-vous de... la Farfouinade ?

Nous battîmes des PAUPIÈRES, perplexes.

– La Stiltonienne ? La Ratacourse ? La Sourissienne ?

ENCORE PIRE !

– La Ratonienne ? La Maratonienne ?
Ratapouf continuait à égrener des noms plus **improbables** les uns que les autres. Mais nous ne l'écoutions plus… Nous étions revenus sains et saufs, et cela suffisait à notre bonheur.

Parole de Stiltonouth, Geronimo Stiltonouth !

TABLE DES MATIÈRES

ALEEEEERTE!!! 10

UNE COMPÉTITION... LOYALE?! 15

TICKETS, S'IL VOUS PLAÎT! 24

QUE LES PRÉHISTOLYMPIADES
COMMENCENT! 32

HOP! HOP! HOP! 44

POUFF POUFF... HAN HAN... 48

UNE COMPÉTITION
DU DERNIER CRI! 52

VRRRRRROUMM... 60

UN FLAIR DE DÉTECTIVE! 68

La grande bouffe !   77

Non, non, non ! Vous ne
comprenez pas !   82

Mission... extinction !   90

Splouf !   98

Cours, Geronimo !
Cours !!   106

Houuuu !   114

Geronimo Stilton

DANS LA MÊME COLLECTION

Pas touche
à la pierre à feu !

Alerte aux
météorites
sur Silexcity !

Des stalactites
dans les
moustaches !

Au trot,
trottosaure !

Tremblement
de rire à Silexcity

Et aussi...

1. Le Sourire de Mona Sourisa
2. Le Galion des chats pirates
3. Un sorbet aux mouches pour
   monsieur le Comte
4. Le Mystérieux Manuscrit de
   Nostraratus

5. Un grand cappuccino pour
   Geronimo
6. Le Fantôme du métro
7. Mon nom est Stilton, Geronimo
   Stilton
8. Le Mystère de l'œil d'émeraude

9. Quatre Souris dans la Jungle-Noire
0. Bienvenue à Castel Radin
1. Bas les pattes, tête de reblochon !
2. L'amour, c'est comme le fromage...
3. Gare au yeti !
4. Le Mystère de la pyramide de fromage
5. Par mille mimolettes, j'ai gagné au Ratoloto !
6. Joyeux Noël, Stilton !
7. Le Secret de la famille Ténébrax
8. Un week-end d'enfer pour Geronimo
9. Le Mystère du trésor disparu
0. Drôles de vacances pour Geronimo !
1. Un camping-car jaune fromage
2. Le Château de Moustimiaou
3. Le Bal des Ténébrax
4. Le Marathon du siècle
5. Le Temple du Rubis de feu
6. Le Championnat du monde de blagues
7. Des vacances de rêve à la pension Bellerate
8. Champion de foot !
9. Le Mystérieux Voleur de fromage
0. Comment devenir une super souris en quatre jours et demi
1. Un vrai gentilrat ne pue pas !
2. Quatre Souris au Far West
3. Ouille, ouille, ouille... quelle trouille !
4. Le karaté, c'est pas pour les ratés !
5. L'Île au trésor fantôme
6. Attention les moustaches... Sourigon arrive !

37. Au secours, Patty Spring débarque !
38. La Vallée des squelettes géants
39. Opération sauvetage
40. Retour à Castel Radin
41. Enquête dans les égouts puants
42. Mot de passe : Tiramisu
43. Dur dur d'être une super souris !
44. Le Secret de la momie
45. Qui a volé le diamant géant ?
46. À l'école du fromage
47. Un Noël assourissant !
48. Le Kilimandjaro, c'est pas pour les zéros !
49. Panique au Grand Hôtel
50. Bizarres, bizarres, ces fromages !
51. Neige en juillet, moustaches gelées !
52. Camping aux chutes du Niagara
53. Agent secret Zéro Zéro K
54. Le Secret du lac disparu
55. Kidnapping chez les Ténébrax !
56. Gare au calamar !
57. Le vélo, c'est pas pour les ramollos !
58. Expédition dans les collines Noires
59. Bienvenue chez les Ténébrax !
60. La Nouvelle Star de Sourisia
61. Une pêche extraordinaire !
62. Jeu de piste à Venise
63. Piège au parc des mystères
64. Scoops en série à Sourisia
65. Le Secret du karaté
66. Le Monstre du lac Lac
67. S.O.S. Souris en orbite !
68. Dépêche-toi, Cancoyote !
69. Geronimo, l'as du volant
70. Bons baisers du Brésil

Chers amis rongeurs,
ne manquez pas les prochaines
aventures des préhistos!